Illustrations: Ann De Bode
Réalisation: Projectgroep Van In/Malmberg
Titre original: *Maar jij blijft mijn papa*
© Van In, 1995. Éditions Van In, Grote Markt 38, B-2500 Lier
Exclusivité au Canada © Éditions École Active,
2244, rue De Rouen, Montréal, Qué. H2K 1L5
Dépôts légaux: 1er trimestre
Bibliothèque nationale du Québec, **1997**
Bibliothèque nationale du Canada, **1997**
ISBN: 2-89069-527-1

ANN DE BODE • RIEN BROERE

Tu seras toujours mon papa

Collection Éclats de Vie

ÉDITIONS ÉCOLE ACTIVE

C'est la fête à l'école. On crie, on rit et on s'affaire.
Tout le monde se prépare pour le spectacle.
Les enfants portent de drôles de vêtements,
leurs visages sont maquillés.
Tous les papas et les mamans ont été invités.
Mais Laura reste silencieuse à sa table.
Elle se sent incapable de participer à la fête.

"Qu'est-ce que tu as ?" dit Tim.

"Rien, répond Laura, je ne suis pas en forme."

"Quelque chose ne va pas, pense Tim.

Normalement, Laura adore le théâtre."

Il lui passe le bras autour de l'épaule.

"Raconte-moi ça", dit-il.

Et Laura lui dit ce qu'elle a sur le cœur.

"Personne ne viendra me voir", sanglote-t-elle.

Les parents de Laura ne vivent plus ensemble.
Ils n'avaient plus assez d'amour à se partager.
Et puis papa est parti vivre dans une autre maison.
Maintenant Laura va chez lui une fois de temps en temps,
tous les quinze jours en fait, avec son frère Thomas.
Tout d'abord, Laura a pensé : "Tout cela c'est de ma faute."
Mais maman lui a affirmé : "Ne crois pas cela.
Il s'agit seulement d'une affaire entre ton père et moi."

Elle a autant de chagrin que si sa poupée préférée était cassée
ou que son plus joli pantalon était déchiré.
Et même peut-être plus encore.
À présent, elle s'occupe de beaucoup de choses à la maison.
Elle fait la vaisselle, arrose les plantes.
Avant c'était toujours papa qui s'en occupait.
Au plus profond d'elle-même, Laura espère qu'il reviendra.
Parce qu'elle pense que sa vraie place est à la maison.

Bien souvent papa la gâte.
Il lui offre des cadeaux.
Comme s'il voulait se faire pardonner.
Alors Laura fait semblant d'être très contente.
Mais ce qu'elle aimerait le plus,
c'est que tout soit comme avant.
Et que papa, maman, Thomas et elle soient à nouveau réunis.
Mais ce cadeau-là, elle n'y a pas droit.

Laura s'est quand même préparée.
Tim est heureux de l'avoir consolée.
Il comprend très bien ce qu'elle ressent.
Ses parents à lui aussi sont séparés.
"Chez toi, dit-il, ils ne se disputaient pas sans cesse.
Chez moi si, et très fort !
Parfois même, ils se jetaient des choses à la tête.
Au fond, j'ai été content lorsqu'ils se sont séparés."

"Tim n'a pas l'air aussi content qu'il le dit", pense Laura.
"Pourquoi es-tu si triste tout à coup ?" demande-t-elle.
"Oh !" Tim hausse les épaules. "Comme ça."
"Tu penses à ton papa et à ta maman ?"
"Oui", dit Tim en soupirant.
Laura le comprend bien.
Elle aussi pense très souvent à sa maman et à son papa.
Et elle revoit toujours comme c'était avant.

Laura jette un coup d'œil dans la salle.
Celle-ci est déjà en grande partie occupée.
Il y a tant de papas et de mamans.
Tout à coup son cœur saute de joie.
Mais c'est maman ! Elle est quand même venue.
En la voyant, maman lui fait signe.
Laura est si heureuse ! Elle sautille en levant les bras,
comme si elle n'avait pas vu sa mère depuis une semaine.

Et papa est là aussi !
Il l'encourage d'un geste.
Laura sait où il y a encore une place libre.
Papa se faufile entre les rangées.
"Encore un peu, lui indique-t-elle. Voilà, tu y es."
Lorsque papa va s'asseoir,
il se rend compte qu'il est à côté de maman.
"Parfait, se dit Laura. Voilà une bonne chose de faite."

Laura se retrouve sous le feu des projecteurs.

Elle ne voit plus rien ni personne dans la salle.

Mais elle sait que papa et maman sont assis là.

C'est pourquoi elle chante encore mieux que d'habitude.

Elle se sent une véritable artiste.

Et lorsque la musique s'arrête, on l'applaudit très fort.

Laura salue, salue et salue encore.

Elle aimerait que les applaudissements ne s'arrêtent jamais.

"Tu étais très bien !" lui dit maman après la représentation.
"Où est papa ?" demande Laura.
"Il est rentré chez lui, je suppose, je ne sais pas."
"Dommage !" pense Laura. Elle avait repris espoir.
"Et toi ?" dit maman. "Comment as-tu trouvé cela ?"
"Pas mal", dit Laura.
"Pas mal, répète maman, mais tu as été géniale !
Je ne tenais pas en place, tellement j'étais fière de toi."

Thomas court d'un bond vers sa chambre.
"Va vite faire ta valise, Laura, dit maman.
N'oublie pas que tu pars quelques jours chez papa."
"Pourquoi me dépêcher ?" dit-elle.
"Parce que nous allons avoir de la visite, dit maman. Un monsieur…
que je trouve très gentil et qui me trouve gentille aussi."
Laura a tout à coup une impression bizarre.
"On n'a pas besoin d'un monsieur à la maison", pense-t-elle.

En montant jusqu'à sa chambre, Laura pense au monsieur.
Elle essaie de se le représenter. Pas facile.
Il y en a tellement et ils sont si différents les uns des autres.
Est-ce qu'il est chauve ? A-t-il des oreilles en feuilles de chou ?
Un ventre énorme ? Ou bien un nez déformé par une verrue ?
Laura imagine cet homme sinistre, puis elle réfléchit.
Non, s'il était comme ça, il ne plairait pas à maman.
Mais comment peut-il être alors ?

Elle décide d'en parler avec Thomas.

Mais la nouvelle n'a pas l'air de l'étonner.

"Je le savais déjà", dit-il. "C'est chouette, non ?

Maman va avoir un ami.

Ils vont pouvoir faire ensemble des tas de choses amusantes."

"Ah oui ! dit Laura. Et papa alors ?"

"Papa restera toujours papa, dit Thomas, ça ne change rien.

Et maintenant laisse-moi. Je vais à l'entraînement de foot."

Tout d'abord, Laura en veut à la terre entière.
Ensuite, un sourire malin se dessine sur ses lèvres.
Son nez se retrousse.
Elle a un plan. Un plan extraordinaire.
Elle va tout faire rater. Elle va désobéir.
Elle va être désagréable.
Elle parlera sans arrêt de papa.
Et on verra si le monsieur reste l'ami de maman.

Maman virevolte comme un papillon.
Elle court à droite et à gauche.
"Enlève tes pieds de la table", gronde-t-elle.
"Oh ça va", dit Laura, et elle enlève ses chaussures.
Maman les aperçoit sur la table.
"Qu'est-ce que c'est que ça ?" dit-elle fâchée.
"Tu m'as seulement dit d'enlever mes pieds de la table.
Alors, j'ai fait ce que tu as demandé."

"Il est au moins roi, ce monsieur", dit Laura.
"Qu'est-ce que tu veux dire par là ?"
"La table est si bien dressée !"
Laura attend que maman la regarde
et se fourre un doigt dans le nez.
"Laura, crie maman, ne sois pas si grossière."
"Mais je le fais avec mon petit doigt, dit-elle.
Ce n'est pas grossier. Je trouve ça très distingué."

19

"Laura, dit maman, je te présente Jean.
Dis-lui bonjour gentiment."
"Salut !" dit-elle en tendant vaguement la main.
Elle lui jette un regard de côté.
Pas de calvitie et pas de verrue.
Il a l'air normal et gentil.
"Mais ça ne compte pas, pense Laura.
Je t'ai assez vu. Maintenant, disparais."

Maman est partie à la cuisine.
Laura regarde Jean méchamment.
"Il va avoir peur", espère-t-elle. "Va-t'en, va-t'en !"
Jean se met à rire en lui faisant un clin d'œil.
Il n'a rien deviné des sombres idées
qui hantent la tête de Laura.
"Tu as l'air d'un mouton
à me regarder comme ça", se dit-elle.

Jean se lève. Mais ce n'est pas pour s'en aller.
Il parcourt les rayonnages de la bibliothèque.
"Autrefois, nous en avions encore beaucoup plus...
dit Laura. Autrefois, euh..."
"Lorsque ton papa vivait encore ici, achève Jean.
Oui, c'est dommage, mais ça arrive parfois."
Laura ne comprend pas bien. Que veut-il dire ?
Parle-t-il des livres ou de papa et maman ?

"Comme c'est chic ici, dit Jean.
Vous mangez tous les jours comme ça ?"
"Comment cela ?" demande Laura.
"On se croirait au restaurant."
"Mais bien sûr, c'est toujours comme ça", répond Laura.
Jean se frappe le front du revers de la main et dit :
"Quel idiot je fais ! J'aurais dû savoir que j'étais dans la maison
d'une princesse. Voilà pourquoi tout y est si parfait."

Laura avale bruyamment son potage.
"Mange correctement", gronde maman.
"D'accord !" dit Laura en tenant son petit doigt en l'air,
et elle continue à siroter sa soupe.
"Laura !" crie maman à présent hors d'elle.
Jean est si surpris qu'il laisse tomber sa cuiller.
Il y a des vermicelles partout.
"Oh ! Pardon !" s'exclame Jean.

Jean est assis sur la chaise de papa.
"Ce n'est pas sa place", pense Laura.
Tout au fond d'elle-même,
elle le trouve quand même sympa.
Mais elle ne veut pas l'admettre.
Tout cela c'est la faute de cette stupide séparation.
Elle se sent si mal,
tout se bouscule dans sa tête.

Depuis que papa et maman ne sont plus ensemble,
tout va de travers.
Même son plan contre Jean vient d'échouer.
Elle aurait aimé faire quelque chose de méchant.
Et puis il serait parti très fâché.
Au lieu de cela, il est toujours là.
Lorsque Laura se lève, elle renverse une tasse.
Il ne manquait plus que ça.

"Qui désire encore quelque chose ?" demande maman.
"Pas moi, merci, dit Jean, c'était très bon."
"Papa mangeait au moins six assiettes de potage
et neuf assiettes de pommes de terre, dit Laura.
Et puis il arrivait encore à manger quatre tartes.
Et il terminait par une pomme."
"Eh bien !" dit Jean, profondément impressionné.
Mais il reste assis.

"Manger autant, je n'y arriverais pas, dit Jean.
Mais par contre, je peux faire ceci."
Il tient une cuiller à la main.
Il passe un doigt sur la cuiller.
Sa main se ferme, puis s'ouvre à nouveau.
Il n'y a plus de cuiller. Laura est tout étonnée.
"Oh ! Je la vois", dit Jean en riant.
Ses doigts découvrent la cuiller derrière une oreille de Laura.

"Je vais essayer encore une fois, se dit Laura.
Il va avoir si peur qu'il va se sauver en vitesse."
"Mon papa est très fort, se risque-t-elle à dire.
Lorsqu'il est en colère, avec un seul coup de poing,
il peut faire voler l'armoire en mille morceaux."
"Ooh ! s'exclame Jean. Mais il ne se met pas souvent en colère."
"Comment le sais-tu ?" dit Laura, ébahie.
"Eh bien, c'est simple, dit Jean. L'armoire est toujours entière."

Laura sursaute. Plus que quelques minutes.
Papa va venir la chercher.
Et il va voir Jean. Il ne faut pas.
Elle court vers sa chambre.
"Y a-t-il le feu ?" demande maman, surprise.
"Je dois aller chercher ma valise, dit Laura, papa va arriver."
Quelques instants plus tard, elle est de retour.
Elle est prête. Maintenant papa peut venir.

La sonnette retentit. Ça doit être lui.

"Eh bien, au revoir, dit Laura. Il faut que j'y aille."

"Holà, holà ! dit maman. Pas avant de m'avoir embrassée.
Et donne gentiment la main à Jean."

"Au revoir, dit Jean. Ça m'a fait plaisir de te rencontrer."

"Au revoir", répète Laura.

Elle hésite un peu puis elle ajoute : "À bientôt."

Et elle le pense sincèrement.

"Comme tu es silencieuse, lui dit papa.
Tu n'es pas malade, dis-moi ?"
Laura marmonne doucement. Est-ce qu'elle doit lui dire ?
Lui dire que Jean a pris sa place à table.
Est-ce que papa va être fâché ? Ou bien va-t-il être triste ?
Laura se risque à ouvrir la bouche.
"Il y avait quelqu'un en visite chez maman.
C'était un monsieur, et il est resté dîner."

Papa ne réagit pas.

"Tu ne trouves pas cela exagéré ?" demande Laura.

"Moi ? Mais non. C'est très bien pour maman et pour vous.
Est-ce qu'il est gentil ?"

Laura hésite : "Euh, eh bien, je trouve que..."

Dans sa tête, elle cherche les mots justes.

"Oui, dit-elle enfin, je le trouve très gentil.
Mais tu resteras toujours mon papa."